20 years
열아홉의 너에게

머리말

책을 직접 쓰고 편집하고 표지 디자인을 하고 모든 것이 내 손으로 이루어졌다는 점에서 나는 내가 자랑스러웠다. 수많은 일이 동시에 일어나면서 어려움도 느끼고 몸이 더 악화된 면도 있지만, 내 손으로 무언가를 끝마쳤다는 점에서 나는 성공한 기분이 들었다.

시를 써보는 것은 처음이었기에 이번 기회가 나에게 큰 도전이 되었다. 시를 읽는 사람들과 내가 읽었던 시를 비교하면 많이 낮은 수준이지만 나는 나의 삶에 대해서 이야기를 해나갔다.

나만의 이야기가 독자들에게 어떻게 느껴질지 잘 모르겠지만, 이 시는 거짓과 진실 사이 어중간한 시들이 많이 있어 나의 친구들은 찾는 재미가 있을 것이라고 느낀다.

내 시는 별다른 해석이 필요 없을 것이다. 있는 그대로 받아드리면 되기 때문에, 난해한 시는 아니라고 말 할 수 있다.

시를 쓰면서 중간중간 나만의 독특한 연출이 들어가는데 그 부분을 재미 있게 봐줬으면 좋겠다.

그동안의 나의 생각이 시를 통해서 전달되는 게 마음이 몽글몽글하면서도 내가 이런 인생을 살아왔구나라는 걸 통감할 수 있게 되는 계기가 되었다.

너에게 보내는 편지

목차

[너에게 보내는 편지]

[삶과 사랑 그리고 나]

[나에게 보내는 편지]

너에게
보내는 편지

담배

처음에는 호기심
다음에는 행복감
또 다음은 스트레스 해소

그렇게 다음은 습관이 되고
또 그렇게 다음은 병이 되고

그다음은, 끝은, 결말은?

나에게 넌 담배 같았다
나에게 나쁜 걸 알지만
난 메말라 죽을 걸 알지만

아니라고 괜찮다고 생각하며
그 끝은 너와 함께라고

내 사랑은 늘 담배 같았다

너에게 보내는 편지

스타더스트

저 도심 속 별 무리들 중
내 자리는 어디 있을까
저 거리 속 은하들 중
내 자리는 어디 있을까

내가 속할 궤도를 찾고
내 위치는 어딜까
답이 오지 않는 질문을 던져

아, 난 저기 우주 속 먼지구나
이게 나의 위치구나
있어도 없어도 모르는 작은 존재

나는 여전히 질문을 던져
내가 쓸모있는 존재라는 답이 돌아오길
저기 떨어지는 유성우에
간절히 소원을 빌어

어쩌면 당연한

밖에서 일어난 안 좋은 일에
나는 늘 당신께 풀었고
나의 울분을 당신은
늘 묵묵히 받아주었다.

당신이 내 옆에 있는 게
당신이 내 모든 감정을 받아주는 것이
어쩌면 당연하다고 생각한 것이

당신과 비슷한 나이가 되고
나는 늘 당신께 받은 관심이
당신의 맹목적 사랑이 늘 존재했다는 것이
이토록 어려운 일이구나라고
새삼 깨달았다.

어쩌면 당연한 것이
세상에서 제일 힘든 일일 수도 있다
이제는 내가 그 당연한 일을 할 차례니

너에게 보내는 편지

당신도 묵묵히 받아주길
어린 날에 내가 받은 사랑을
당신께 돌려줄 수 있게.

다섯 번째 계절

이번 계절은 겨울보다 춥고
이번 계절은 여름보다 뜨겁고
이번 계절은 가을보다 쌀쌀하고
이번 계절은 봄보다 꽃이 만개했다

다섯 번째 계절은 그대를 닮아
내 마음속 환상으로 남았다.

스무살

안녕, 난 열아홉의 너야

스무 살의 너는 행복하니
어른이 된 기분이 어때

모든 걸 마음껏 할 수 있으니
그동안의 고생이 빛이 바랬을까?

나는 빨리 스무살의 너를 만나고 싶어

열아홉의 너에게

열아홉의 너에게

미안해, 나는 너가 바라는 대로
훌륭하고 행복한 어른은 되지 못했어.

무언갈 하려고 계속 노력 중이지만
여전히 답을 찾지 못하고 있어

나는 어린애도 어른도 아닌
애매한 상태에 머물러 있어.

열아홉의 나야
널 만나면 하고 싶은 얘기가 있어.

그동안 고생했어. 많이 힘들었지
너의 고통을 줄이기 위해
스무 살의 내가 노력할게

너에게 보내는 편지

고양이

비싼 장난감보다
택배 상자를 좋아하는 고양이

순식간에 사라졌다가
어느 순간 날 깜짝 놀래키는 고양이

고롱 소리를 내며 자면
마음이 몽글몽글해지는 존재

먼저 다가왔다가
내가 다가가면 도망가는 고양이

혼자 지내는 밤이
이젠 일어나면 함께인 낮

울음

아이들은 잘 운다.
그것밖에 할 수 없기에

아이들은 잘 운다.
자신이 사랑받는 걸 알기에

아이들은 잘 운다.
울면 모든 게 해결되기 때문에

아이들은 잘 운다.
자신을 사랑하는 존재가 있기에

너에게 보내는 편지

보내지 못한 편지

이름만 불러도 가슴 아픈 내 사랑아

너는 여전히 날 기억해?
내 이름은 기억해
나와 함께한 모든 시간을 기억해

난 여전히 그 시간 속에 갇혀 있어
이럴 줄 알았다면
너에게 내 마음을 전하지 말걸
그러면 여전히 넌 내 옆에 있을까?

난 여전히 환상 속에 살고 있어
손가락으로 셀 수 없는 만큼
많은 계절이 지난 지금도
난 여전히 그곳에 머물러 있어.

너가 내 이름을 불러주길 기다리며
이름만 불러도 가슴 아픈 내 사랑아

당연한 것들

사과는 빨간색이고
동물들은 사과를 먹고
또 그 동물을 잡아먹는 육식동물이 있고

이것이 우리가 당연히 알고 있는
세상의 이치

사람들은 일을 하고
일을 하며 돈을 벌고
돈을 벌며 피로를 받고

이것이 우리가 겪는 세상
하지만 우리는 행복할 권리가 있다는 걸
잊고 살아

너에게 보내는 편지

바코드

일련번호를 세기고
가격을 기입하고
정보를 적고

그렇게 팔려간다.

1시간도 안 되는 면접장에서
내 이력서를 보고

나는 그렇게 다시 바코드를 찍는다.

어린시절

모두가 말했다.

그때 그 시절이 제일 좋은 것이라고
어린 날의 기억이 행복한 추억이 될 거라고
그때로 돌아가고 싶을 거라고

어른들은 말했다.

아프니까 청춘이다.
이런저런 고생이 너에게 피가 되고 살이 된다고

지금 어른들은 그런 삶을 살고 있을까?

어린 난 그 시절에 아픔이 있었고
여전히 아픈 어른이 되어갔다.

난 그날을 추억하지도
그날로 돌아가고 싶지도 않다.

그래도 돌아간다면,

너에게 보내는 편지

단지 어린 날에 나를
따뜻하게 안아주고 싶다.

나는 나에게 말한다.

아파도 괜찮아라고

어른처럼

중학교 1학년이 되었을 때
사람들은 이제 중학생이니 성숙해지라고 했다

고등학교 2학년이 되었을 때
사람들은 이제 고등학생이니 어른처럼
행동하라고 했다.

스무살이 된 지금
난 너무 일찍 어른이 되어버렸다.

어린시절의 아이다움도
청춘의 즐거움도
모두 철들어야 한다는 강박에서

난 너무 일찍 어른이 되어버렸다.

나만 너를 기억해

같은 과자를 두 봉지 사고
우유는 일 리터가 넘는 걸 사고
달걀 두 판을 사고

달걀을 두 개나 깨고
테이블 위 잔을 두 개 올리고

나는 정말 너를 여전히 잊지 못했구나
온 세상의 너의 흔적이 없지만
난 늘 너의 몫까지 준비해

신에게

나는 자기 전에 신께 빕니다.

부디 내가 내일은 행복하길
부디 내가 내일은 아픔을 잊기를

나는 믿지도 않는 신께 빕니다.

부디 내가 세상에서 사라지길
부디 내가 세상에서 버림받길

나는 절망스러울 때 신께 말합니다.

왜 나는 이리 불행한가요.
왜 나는 이리 깊은 바닷속에 가라앉아 있나요.

나는 늘 신을 원망합니다.

너에게 보내는 편지

그분의 잘못이 아니라는 걸 알면서도
원망할 대상이 필요하여
난 늘 신께 원망합니다.

내가 할 수 있는 일이
이런 일뿐이라서

제발 날 행복하게 만들어주세요.
당신이 존재한다면.

여우 자리

안녕, 나의 거위 친구야. 우리는 늘 함께였는데 이제는
내 앞에 너가 존재하지 않아.
우리는 아주 최근에 발견되어 다른 별자리들과 달리 이야기
나 전설이 존재하지 않아.

하지만 우리는 서로가 서로에게
어떤 이야기를 가졌는지 알지.

나의 안서, 저기 멀리 적색 거성으로 남아 있는 나의 안서.
우리는 크게 밝지는 않지만 어둡게 아주 어둡게 존재하고
있다고 신호를 보내고 있어.

나의 안서 너는 나의 신호를 받고 있니?

너에게 보내는 편지

여행

어떤 여행지는 사랑으로 가득 차 있어.
그곳에 혼자 온 내가 외롭고

어떤 여행지는 우울로 가득 차 있어.
그곳에 잠식된 내가 절망스럽고

어떤 여행지는 나를 닮아
그곳에 헤어나올 수 없었다

무리 생활

나는 하늘색이 좋아요.
내가 걸은 발자국 색을 하늘색으로 칠하고 싶지만

사회는 하늘색을 원하지 않아요.
모두가 같은 발자국 색으로 칠해야 한답니다.

그것이 이 사회를 살아갈 규칙이고
좋아하는 것과 해야하는 것
좋아하는 것과 성공해야 한 것은
다르기 때문이에요.

달의 뒷면

달에 뒷면은
지구에서 볼 수가 없다.

우리가 알 수 있는 정보의 한계도 많다.

그에 반해
나는 거울을 통하지 않으면 볼 수 없다.

어쩌면 달의 뒷면보다 나 자신에 대해서
모르는 것이 더 많을 것이다.

어쩌면 달의 뒷면을 아는 것보다,
나를 아는 게 더 싫을 수도 있다.

어쩌면 내가 형편없을까 봐
어쩌면 내가 평범하다거나

차라리 내가 달의 뒷면에 살았다면
이런저런 걱정은 하지 않았겠지.

아들에게

아들아
너 자신을 사랑하렴

그게 어렵거든.
너가 기억하는 제일 행복한 기억을 꺼내렴

그것도 없다면
내가 널 사랑한다는 걸 알길 바랄게

너에게 보내는 편지

비행기

저기 저 높이나는 비행기가
어디로 향할까?

저기 저 높이나는 비행기가
나의 꿈을 실어서

멀리 떠나주길

저기 저 높이나는 비행기가
언제 돌아올까?

저기 저 높이나는 비행기가
나의 행복을 가지고

돌아와 주길

자기 암시

나는 널 사랑하지 않아
나는 너를 사랑해
널 싫어할 수십 가지 이유를 알아
널 좋아할 수십 가지 이유를 알아

마른 가지에 마지막 남은 잎새처럼
나는 말라가고 있어
새로 태어난 잎사귀처럼
너는 파릇파릇해

그렇게 내 눈앞에는
활짝 웃고 있는 내 자신이 거울에 비쳤다.

이제 집을 나갈 시간이야.

너에게 보내는 편지

서울의 야경

서울의 야경을 참으로 아름답습니다.
모두가 야경을 찍고
모두가 그 야경을 관광 상품으로 사용하죠

그거 아시나요?

서울의 야경은 참으로 슬프답니다.
모두가 밤늦게 일하고
모두가 그 야근을 당연하게 하고 있죠.

서울의 야경은
사람의 아픔이랍니다.

예술

오래된 예술은 말이지
내가 살아있는 상태에서
성공하기 힘들어

모두가 내가 죽으면
그때 나의 작품을 해석하고
그때 나의 작품을 찬양하지

현재의 예술은 말이지
내 작품을 좋아하는 사람
그 사람 한 사람뿐이라도
있다면, 나는 성공한 거야

그러니 이 글을 읽고 있는 당신은
나는 당신께 감사를 표합니다

내가 죽지 않아도
내 글을 읽어준 당신이 있어.
다행입니다

7

나는 7이 좋아.
세븐, 럭키, 행운

모든 좋은 뜻이 다 담긴 숫자

하지만 난 4에 머물러 있어.
죽을 사와 비슷한 말인 4.

근데 그거 알아
숫자는 단순히 숫자에 불과하대

하지만 이런 미신은
쉽게 빠져나오기 힘들어

그래서 난 여전히
럭키 세븐이 좋아.

너에게 보내는 편지

착한 아이

착한 아이는
어른들의 말을 잘 들어

착한 아이는
말썽을 부리지 않아

착한 아이는
착한 아이는….

착한아이는
늘미소를지어
착한아이는
늘행복한가면을쓰고있어
그안에는늘울고있으면서

푸른 장미

나는 당신에게 푸른 장미를 주었죠. 당신은 그 장미를 싫어
했어요. 포기하라고 불가능한 세상이라고 느꼈죠.

푸른 장미를 얻으면 소원이 이루어진다고 하죠.
그래서 난 늘 당신에게 푸른 장미를 가져다줍니다
그렇게 당신의 병실에는 늘 푸른 장미가 가득했죠
당신은 푸른 장미의 꽃말을 아시나요.
포기하지 않은 사랑, 기적.
당신은 나에게 푸른 장미와도 같습니다.
그리고 당신과 나의 소원이 이루어졌죠.
푸른 장미처럼

갈라진 명왕성

우리는 늘 둘이었어.
언제나 함께 세트처럼.
일년에 2번뿐인 만남이지만
우린 비슷했고
그래서 서로에 대해서 잘 알았지

하지만
이제는 일 년에 2번밖에 만나지 못해
타인이 우릴 갈라놨고
우린 그것에 수긍했지
아무 힘도 없이

나의 궤도가
너의 궤도와
마주칠 때를 기도하면서

시계와 시간

내 시계는 아주 잘 흘러간다.
1시 2시 3시 4시
그렇게 다음날이 되는 걸 보고
또 다음날이 되고

내 시간은 언제나 멈춰있다.
5시 37분 11월 24일
그렇게 시간은 흐르고 흘러

내 눈에는 5시 37분이 보인다.

너에게 보내는 편지

천재와 바보

한 천재는 지구가 둥글다는 걸 몰랐다.
그에게는 지구가 둥글다는 사실은 중요한 것도 필요한 지식
도 아니었기 때문이었다.
한 바보는 지구가 둥글다는 걸 알았다.
그에게는 지구가 둥글다는
사실이 자신이 지구를 사랑하고 사랑하는 것을 아는 게
좋기 때문이라도 했다.

또 한 천재가 말했다. 베르누이의 정리가 있어
우리가 날 수 있다고.
또 한 바보가 말했다 그 법칙을 몰라도 사는 데
지장은 없다고.

아름다운 이별

좋은 추억과 나쁜 기억과 사랑 한 줌과 이별 1g과
악수 한번

아, 이제 우리는 헤어졌구나

상담사

나는 정신병자입니다
처음 만난 상담사는 내게 이렇게 말했어요
당신은 정신병이 있네요.

그다음에 만난 상담사는
내게 이렇게 말했어요.
당신은 마음이 아픈 거예요.

그렇게 1년, 2년, 수도 없이 많은 세월이 지나고 난 여전히
마음이 아프지만,
나의 말을 들어줄 유일한 상담사를 만났습니다.
여전히 상담사는 내게 이렇게 말했습니다.
많이 힘들고 괴로웠겠어요.

그 말이, 그 위로가 나에게는 처음이었습니다.
나에게는 말이죠.

이제는 상담사가 나와 그만 만나길 바라죠

이 말은 내가 더는 아프지 않고 나 스스로 극복할 수 있단
소리일까요?

사실 아직 그 말을 듣지 못했지만 괜찮아요.
나의 편이 있으니.

상담사는 늘 내게 말해요.
미안하다고, 난 괜찮은데. 아니 괜찮은 척 잘하는데.
그의 눈에는 내가 괜찮지 않은 게 보이나 봐요.
숨이 벅차 쓰러지면 오히려 그가 더 걱정하죠.

그 누구도, 날 나로 보지 않고 위로조차 없었지만
유일한 내 편
당신이 있어서 나는 조금 더 살 수 있었어요

직업정신일 수도 있지만, 괜찮아요.
내가 당신과 함께한 시간이 위로되었으니.

그걸 아시나요?

한 달에 하루 1시간 채 안 되는 시간을 난 기다렸다는 걸.

너에게 보내는 편지

나는 여전히 마음이 아픈 사람입니다.

이제는 상담사가 이렇게 말합니다.

자기 마음을 잘 다스릴 수 있는 아픈 사람이라고….

우주로 보내는 편지

-한 편의 편지를 보내
그곳은 어떠니?
이곳은 아주 아주 복잡하고 시끄러운 세상이야.

-두 번째 편지를 보내
어쩌면 읽을지도 모를 존재를 위해 남겨
우리는 빠른 시일 내에 사라질지도 몰라

-세 번째 편지를 보내
우주야 그거 아니?
지구에서는 한 종이 멸종하면….

-마지막 편지를 보내
난 보다시피 잘 지내진 못해
어리석었던 날들을 후회하며 되살리려고 하지
사실 너에게 진짜 하고 싶은 말이 있어.

미안해
나와 우리의 과오를 너에게 던져버려서

오뚜기 인형

나는 스스로 누울 수 없어요

나는 스스로 움직일 수 없어요

단, 넘어지면 스스로 일어날 수 있어요

열 번이고 만 번이고 수천 번을

나는 넘어지면 다시 일어나는
그런 사람이랍니다.

삶과 사랑
그리고 나

미의 여신

모두가 아름다운 걸 좋아한다.
이쁘고 눈을 사로잡고
그러한 미적 감각이 뛰어난 것들을

근데 세상은 아름답지 않아
미의 여신 아프로디테는
미를 관장하는 것이 아니라

미에 홀려 본질을
보지 못하게 도와주는 신이 아닐까?

STRESSED

누군가가 다쳤으면 좋을 정도로
세상이 멸망했으면 좋을 정도로
내가 이 세상에서 사라지길 바랄 정도로

한계가 찾아오면
대부분의 사람은 스트레스를 해소하기 위해 찾는 게 있죠

전 디저트를 찾아요
참 재밌죠

DESSERTS

악마

누군가 싸움이 나거나 다툼이 일어날 때
우리는 화를 내고 논리적으로 해결한다.

하지만 악마는 단 한 번도 화내지 않는다
우는 존재가 악마다
울게 되면 나쁜 사람은 내가 된다.

그게 악마들의 싸움 방식이다

계절

나의 계절은 그대가 함께여서 따뜻했소
자연을 거니를 때면 그대의 손을 잡고 걷던 기억이 여전히
나를 따뜻하게 만듭니다
생으로 사로 그대와 만나 헤어지고
꽃이 지고 피는 시기에
나무들이 옷을 벗고
벌레들을 잘 준비를 시작할 때

나 또한 그대의 온기를 느끼며
그대라는 계절에 녹아내리오

쓰레기

내가 처음으로 버린 것은 믿음이요
그다음으로 버린 것은 사랑이요
또 그다음으로 버린 것은 분노요
그다음은 용기, 행복, 감동, 재미,

나는　　　　　나는
내게남은　　　감정은무
엇일까고민　　을하니남은
것은부정적인　감정뿐이구나
희망도사랑도없　는아픔뿐인사람

무엇일까,　사람들
이유는　　　　때문이라고
버리게된　　　　자기암시를
감정을　　　　　할뿐이야
내가　　　　　　　　나는

암호

우리는 끊임없이 금고에 암호를 풀려고 한다.
초등학교, 중학교, 고등학교
내내 암호를 풀었다.

그렇게 나이가 들어 성인이 되어서도
나는 암호를 풀고 있다.
여전히 금고는 열리지 않지만
계속 암호를 풀고 있다.

그 금고 안에 어떤 것이,
들어 있는지도 모르면서

불안을 먹는 강아지

내 이름은 먹보예요.
나는 늘 배가 불러요.
주인님의 걱정과 불안이 너무 많거든요.
그래서 제가 옆에서 늘 자리를 지키며 먹어요.

내 이름은 먹보예요.
나는 늘 배가 고파지고 싶어요. 주인님의 걱정과 불안이
너무 많거든요.
그래서 내가 필요 없어질 때까지
그런 날이 오면 좋겠어요.

게임

캐릭터는 레벨업을 하고 능력치를 높이고
그 모든 게 다 쉬운 세상이다.

만약 나의 세상이 하나의 게임이라면
하드모드가 아닐까?

L은

L은 lucky
L은 like
L은 lovely
L은 laugh
L은 life
L은 launch
L은 love

L 안에는 아름다운 단어가 많이 존재한다.
하지만 내 안에 L은

L은 lost
L은 leave
L은 lose
L은 lack
L은 low
L은 loss
L은 lonely

L 안에는 아름답지 않은
단어가 많이 존재한다.

그것들은 내 안에도 그대 안에도 존재한다.
다만 어떻게 받아드리느냐의 차이일 뿐

삶과 사랑그리고 나

백야

내 인생은 늘 해로 가득했다.
눈이 내리고 저녁 식사를 할 때도
내 인생은 늘 해로 가득했다.

나는 백야에 삼켜져 이대로면
타버릴 것만 같은 심정으로
너를 바라봤다

너가 지지 않는 태양이라면
나는 그 태양을 집어삼키는 극야가 되리라

알레르기

심장이 빠르게 뛰고
호흡은 더 갑갑해지고
온몸에는 널 사랑한다는 증거를 남기는 듯
두드러기들이 올라오고
시야는 흐릿해지며
나는 또다시 쓰러져

그리고 이런 생각을 해
난 약으로 버텨가면서도
널 사랑하는구나

나의 마지막

나는 좋은 삶을 살았을까?
나는 좋은 일을 하며 살았을까?
올바른 행동으로 사람들을 도와주고
감사와 찬사를 받으며
그런 행복 속에서 살았을까?

아니, 그건 내 망상 속 삶이야.

나는 비록 좋은 삶을 살지는 못 했지만
나쁜 짓은 하지 않았고
먼저 도와주지는 않았지만,
손을 내밀면 잡아주었고
감사와 찬사를 받지는 못했지만

내 장례식에 와서
울어줄 사람은 수도 없이 많아,

이건 내가 잘살았다는 뜻일까?

동화

새들은 노래하고
꽃들은 바람에 흔들려 춤추네
동물들은 사이좋게 파티를 하고
모두를 사랑하네

이런건 동화일 뿐이야

새들은 죽어가고
꽃들은 짓밟히고
동물들은 사이좋게 잡아먹네
모두들 그런 삶을 살아

나를 만지지 마세요

내 주변에 장갑을 끼고 여름에도 긴팔 긴바지를 입은
아이가 있었어. 나는 왜 그런지 궁금해, 아무것도 모르던
어린 날의 난 그 아이의 장갑을 뺏었지.
그러면 멍이든 흉터든 나올 줄 알았어.
하지만 흉터가 생기는 건 나였어. 그날 그 아이는
내.손을 할퀴었고 토를 했어.

난 그때 알았어 누군가를 만진다는게 상처가되고
흉터가 될 수 있다는 것을.

이제 그만 비워도 괜찮아

내 집에는 수 많은 책들이 가득하고
내 집에는 수 많은 그림들이 가득하고
내 집에는 수 많은 장난감들로 가득하고

단 한 번도 읽지 않은 책들
단 한 번도 보지 않은 그림들
단 한 번도 가지고 놀지 않은 장난감들

그저 마음 채우기였어.
텅 빈마음에 집을 가득채웠어
잘 수도, 서 있기도 힘들정도로 말이야.

울타리 밖

넌 무슨 말이든 만나서 한다고
말했지.

그 상대가 좋든 싫든,
할 말은 만나서 한다고.

하지만 난 그런 감정도 없는
신경도 안 쓰는 존재였던 걸까.

너의 짧은 두 줄로 설명되는 관계.

나는 너에게 만나지 않아도 될
울타리 밖의 존재인가 봐.

내가 그 안에 없다는 걸 알았으면
너한테 고백하지 말 걸 그랬나봐.

나 혼자 오해하고 설레는 시간이,
이제는 다 쓸데없이 아픈 상처가 됐네.

삶과 사랑그리고 나

혼란

곧 이별 이겠죠
그전에 당신을 떠날까 봐.
아니 떠나지 않겠어요

당신 참 무서운 사람이에요
사랑할까요? 사랑 할래요

당신 차라리 죽어 버려요
아니 제발 죽지 말아요

계단을 내려서 듯
더 많은 혼잣말을 통해서만
계단 끝의 당신에게로 가는

시선

너의 그 두 눈에 내가 담겨져있었으면 좋겠고
나의 그 두 눈에 너만 담겨져있었으면 좋겠고
한편으로는 내 눈에 너가 담겨져있는 걸
너가 알아줬으면 했다.

심연

나는 어둡고 깊은 바다에 잠식되었고

난 정신을 잃었어.

스스로를 가둔 채 아무 소리도 낼 수 없는

수면과
　　해저
　　　　사이에
　　　　　　어딘가에
　　　　　　　　나는
　　　　　　　　　가라앉았어.

혹은 그곳이 어쩌면 심연일 수도 있어.

미망(未忘)의 꿈

나는 나의 꿈속에서 조차 너를 붙잡지 않았다

너의 행복을 빌었고 나는 너를 밀어냈다

한낱 미망의 꿈에 불과하지만

나는 너를 위해 포기를 잊지 않기로 했다

시끄러운 세상

나는 그 어떤 소리도 들을 수 없어.
당신들이 말을 안 하는 것인지,
아니면 내가 귀를 막은 것인지
알 수는 없지만
한 가지 확실한 건
난 그 무엇도 듣고 싶지 않아

꽃을 마신다

한적한 정원, 나무에 열린 꽃잎들이 흩날린다.
그렇게 흩날린 꽃잎은 내 찻잔에 가라앉았다.

꽃의 맛은 참으로 아름답고 우아하구나

눈이 오면

눈이 오면 우리는 모두 어린이가 된다.
눈이 오면 새 눈을 밟으려고
아무도 밟지 않은 곳으로 뛰어다닌다.
눈이 오면 눈 오리를 만드며 재미있게 논다.
눈이 오면 연말도 같이 온다.
눈이 오면 가족이 함께 할 수 있다.
눈이 오면...

밤의 정원

어느 날 문득 이대로 살 수 없겠다 싶은 순간,
밤으로만 이루어진 정원으로 뛰어간다.

정원은 메마른 꽃들로 가득하고
생명체 하나 존재하지 않았다.

그곳에서 오직 나의 숨소리와
심장 소리뿐이다.

나의 정원은
오직 나만 살아있다.
그래서 정원을 나갈 때면 나도 살 수 있겠구나.

내일은 물방초가 피길

열다섯에 만나 지금까지도
너와의 추억이 가득한 꽃밭에서
나는 하늘을 보며 누워있다.

부디 내일은 너가 물방초를 들고 내게 와주길.

하루

오늘은 사무치게 아름다워
차 한잔을 하자

오늘은 사무치게 어두워
집에만 있자

오늘은 사무치게 복잡해
책이나 읽자

오늘은 사무치게 사람이 그리워
이불 속에만 있자

이런 모든 날들이 존재하길
사무치게 아름답다가도 어두웠다가도
복잡했다가 사람들이 그리워
어쩔 줄 모르는 그러한 하루를 보내자

어떤 사랑은 증오가 된다

그대를 볼 때면
나는 더 이상 사랑을 하지 않는다

이제는 사랑보다 증오가 더 쉬웠고,
매말라가는 나뭇가지가 되기보다는
뱀이 되어 독을 내뱉는게 더 쉬웠다.

어떤 사랑은
이별의 이유를 찾다가 증오가 된다.

무도회

규칙 따윈 없는 무도회에서
신나게 춤을 춰요
남의 발을 밟고 박자를 놓치고
신나게 춤을 춰요

그러다 보면 나의 아픔과 불안이 사라져요

부디 무도회를 즐기다가 시길.

사도세자의 마음

내가 바란 것은 따뜻한 눈길 한 번
다정한 말 한마디였소.

이십 만원에 팔리거나,
책임감 없이 태어나고 싶은 게 아니었소.
당신들에게 말하고 싶소.
나를 한 번만 봐주시길.
나는 여기 그대 옆에 있소.
나는 이리 존재하는 생명이오.

당신의 소유물도 장식품도 아닌
하나의 생명이오.
나는 그리 존재하니,
그대도 그리 존재해주겠소?

황혼의 시간 속 후회

해가 지고 달이 떠오르면
행복한 기억은 잊어버리고
아픈 기억도 같이 떠오르네

그대가 날 처음 본 순간
한 번이라도 더 붙잡아 볼걸

해가 지고 달이 떠오르면
행운은 사라지고
불행이 찾아오네

우연히 온 행운을
놓쳐버리고 반복되는 실수가 연속이네

해가 지고 달이 떠오르면
사랑을 잊어버리고
증오만 남네

그대를 그대를 사랑해
이젠 얼굴도 기억 나지 않는 그대를 사랑해

해가 지고 달이 떠오르면
모든 순간의 선택들이
오류였다는 것을 나는 알아차린다.

늙은 노파

어린 날에 나는 늙은 노파를 두려워했다
아니, 정확히는 싫어했다.

온기는 느껴지지 않은
쭈글쭈글한 주름만 가득한 손

말은 느리고 행동은 더 느린 노파.

노파는 늘 내게 먼저 다가와
나에게 무언갈 주었다.
난 늘 거부했고, 도망치기 바빴다.

그렇게 찌그러진 심장을 가지고 누운
노파를 보고 없던 온기는 흔적도 없어지고
쭈글거리는 손을 잡고

나는 이제 알았다.

늙은 노파는 늘 나에게 사랑을 주었다는 것을.

아주 늦게 너무나도 늦게 깨달아버렸다.

기다려도 오지 않는 것들

버스는 기다려도 온다
사람은 기다려도 오지 않는다

해는 기다려도 온다
사랑은 기다려도 오지 않는다

하지만 가족은 기다리지 않아도 온다.
아니 이미 와있다.

다만, 늘 떠나는 걸 기다릴 뿐이다.
떠남은 기다려도 오지 않길 기도하며.

삶과 사랑그리고 나

옷

옷은 나를 대신해주는 물건이다
내가 후줄근한 옷을 입으면 백수가 되고
내가 쫙빼입은 정장을 입으면 회사원이 되고

옷으로 사람들을 어떻게 판단하는 걸까
사실은 옷이 아니라 옷을 살 수 있는 돈으로
재단하는 걸지도 모르는 세상이
되어버렸을지도 모른다.

하이힐을 신은 남자

중세시대 남성들은 높은 하이힐을 신고다니는 신분 높은 사람이 있었다고 해요.
남성들도 하이힐을 신고 다닌다는 걸 알시나요?

루이 13세였나? 루이 14세쯤 왕이 하이힐을 신고 다녔어요.

하지만 아무도 이상하다고 하지 않았죠.
물론 왕이라 아무말 못 한 것일 수도 있어요.

그럼 현재 하이힐 디자이너들은요?
남자 디자이너들은 다 성소수자나
여성성이 높은 건가요?

아니에요. 그저 우리 눈에 아니 세상이 그들을
그렇게 보게 만들 뿐이었지요.

하이힐을 신은 남자는 변태가 되지만
남성정장을 입은 여성은 보이시하다고
이쁘다며 칭찬을 하죠.

참 이상하죠?

카메라

작은 필름 카메라 안에는

행복이 찍혀있고
아름다움이 찍혀있고
다정함이 찍혀있고
귀여움이 찍혀있고

사랑이 찍혀있다.

완벽한 것

세상에는 완벽한 것들은 없다
단지 노력만 있을 뿐.

인간

사람으로 태어났으면,
세상에 이름정도는 남겨라.
사람으로 태어났으면,
세상에 이바지를 해라.
사람으로 태어났으면...
사람으로...

그 무엇이 쉬우랴
내 몸 하나 건사하는 것도 쉽지 않는데

사람으로 태어나 몸이 부서지고
사람으로 태어나 마음은 망가지고
사람으로 태어나
사람으로...

이리 살다 떠나는 것이 사람인가?

물감

새하얀 도화지에 하늘색 물감을 바르면
하늘색 도화지가 되고
그 도화지 위에 노란색 물감을 바르면
밝은 노란색 하늘색 도화지가 되고,
그 위에 수많은 색의 물감을 바르면
검정색이 된다.

핸드폰

핸드폰으로 사람들과 쉽게 대화를 나누고
빠른 정보를 받고
음악을 듣고

핸드폰이 없으면 대화를 나누지 못하고
정보를 이해하는데 오래걸리고
음악은 듣지 않는다.

핸드폰이 우릴 망친다고 하지만
우리의 행동으로
우리를 망치는 게 맞지 않을까?

새 하얀 도화지

초등학교를 다닐때 선생님이 하얀 도화지를 주면서 숙제를 내주셨다. 다음주까지 내가 잘하는 것이나 되고싶은 것을 그려오라고 하셨다. 집에 가는 길에도 집에 와서도 아무 생각이 들지 않았다.

내가 잘하는 것은 없었고 되고싶은 '직업'도 없었다. 엄마에게 물어보니 엄마는 나보다 더 날 잘 알았다.

결국 난 새 하얀도화지를 제출했다.

콤플렉스

나는 자신감이 없어요.
내가 쓸모가 없는 것 같아요.
잘하는 것도 없고요.
남들과는 다르죠.

나는 자신감이 넘쳐요.
내가 쓸모있는 사람이라는 걸 잘 알죠
난 모든지 잘 할 수 있어요.
남들과는 다르죠.

젤리

내 입안에서 사과가 터지고
꽃향기가 퍼지고
머릿속에는 폭죽이 터지고
용암에 몸이 녹듯 혀 위에 젤리는 녹아버린다.

그것이 나에게 작은 행복을 주었다.

길몽을 그대에게

드림캐쳐 구멍 사이사이로 악몽이 빠져나간다.

그렇게 빠져나간 악몽은,
환상의 동물인 맥이 먹어치운다.

그렇게 맥이 악몽을 다 먹고 나면,
비어버린 꿈자리가 길몽으로 가득차게 된다.

나에게
보내는 편지

봄이 오면

봄이 오면 해변에 가요
봄이 오면 사진을 찍으러 가요
봄이 오면 미술관을 가요
봄이 오면 놀이공원에 가요

봄이 오면 그대와 함께 하고 싶어요.

나는 운이 좋아

나에게는 달릴 수 있는 다리가 있고
음식을 먹고, 글을 쓸 수 있는 손이 있고
대화를 할 수 있는 입이 있고
아름다움을 들을 수 있는 귀가 있고
향긋한 냄새를 맡을 수 있는 코가 있고
이성적인 사고를 할 수 있는 머리가 있다.

나는 운이 참 좋다,

상처를 주는 사람들

너는 못난 사람이야
왜 존재하니
이거 하나 못하니
할 줄 아는 게 뭐야.

이런 말들은 무시하세요.

저 말의 배로 당신은 사랑한다는
말을 듣고 자란 사람입니다.

상처를 주는 사람보다
사랑을 주는 사람을 만나요.

망각

망각은 신의 자비라고 한다.
만약 정말 그렇다면
나의 나쁜 기억을 지워주세요.

근데 왜 전 행복한 기억이 떠오르지 않을까요?

나쁜 기억만으로 살아가는 나는
이제 행복한 기억을 만드는 법을 모르겠어요.

자화상

자화상은 나의 내면을 그린다
자화상은 나의 아픈 면을 그린다
자화상은 나 자신을 그리는 것인데
내가 아닌 것 같은 느낌이다.

향수

향수는 오랜 향기를 남긴다.
향긋한 꽃향기를 남기다가도
머리가 아플 정도로 진한 향기를 남긴다.

향수는 사람의 옷과 같다.
그에 맞는 향수를 쓰면
그에 맞는 분위기가 형성된다.

향수는 참 이상하고 신기하다.

매직 아워

15분.
그 황홀한 배경이 만들어지고 사라지는 시간.
그 시간에 배우는 울고, 웃고, 사랑하고,
이별하고, 참 많은 걸 해야한다.
아름다운 장면을 담기 위해서.
길면 길고 짧으면 짧은 시간 안에
나의 연기를 다 보여주어야 한다.

나에게 보내는 편지

시끄러운 소리

도로 위에는 차들이 지나가고
새벽에는 쓰레기차가 오고
오후마다 택배차가 오고
새들은 지저귀고
강아지는 짓고
너무 시끄러운 세상이다

제일 시끄러운 건
사람들의 악의적인 말과 쓸데없는 말들.

세일

사람들은 세일을 좋아한다.
특가세일, 이벤트 세일.
왜 한 번도 그 물건이 세일인지
의심 없이 사는 걸까?

세일이라는 단어에 어떤 힘이 있는 것 같다.

비정상인

나는 병원을 네 군데나 다니고
약은 20개를 먹어요
몸이 안 아픈 데가 없어요.
귀는 찢어질 듯 아프고
마음은 흉터로 가득하고
목은 늘 메말라 있고
몸은 구석구석 고통이 느껴져요.

난 비정상인인가 봐요.
가끔은 아픈 게 다른 것들보다
서러울 때가 있어요.

생일

누군가의 탄생을 축하하고
누군가의 탄생을 축복하고
선물과 사랑을 나누는 시간

나는 그 시간이 싫었다.

공부

우리나라는 다들 공부를 잘해요.
잘하지 못하면 낙오자가 되니까.
그럼 공부를 잘하면 성공한 사람이 되나요?

나는 잘 모르겠어요.
공부를 못 해도 행복만 하면 되는데

우리나라는 다들 자살률이 높아요
잘하지 못하면 낙오자가 되니까.
그럼 공부를 잘하면 행복한 사람이 되나요?

와인 에티켓

등급을 매기고
얼마나 높은지 도수를 쓰고
경고문구를 적고
보틀러 이름을 쓰고
로드 번호를 표기하고
원산지와 용량을 적는다.

인간의 삶과 비슷하지 않은가.

등급을 매기고
얼마나 예쁜지 얼굴을 보여주고
나 자신을 소개하고
이름을 달고
나이를 알려주고
태어난 곳과 신체 사이즈를 알려주는 것이.

인간과 비슷하지 않은가?

나에게 보내는 편지

새벽은

새벽은 고요하다.
벌레들의 소리가 들리고
바람이 잔잔하게 부러 나뭇잎 부딪히는
소리가 들리고
가끔 고양이의 애교 소리도 들린다.

이런 것이 나의 새벽이다.

택배

어떤 상자는 내가 기다리던 것인지
고대하며 두근거리기도 하고
어떤 상자는 내 이름이 없어
실망하기도 하고
어떤 상자는 망가져서
내 마음이 찢어지기도 한다.

어떤 사랑

어떤 사랑은 너무 사랑스러워 봄이 되고
어떤 사랑은 너무 뜨거워 여름이 되고
어떤 사랑은 너무 그리워 가을이 되고
어떤 사랑은 너무 추워서 겨울이 되고

나는 어떤 사랑을 하는 중일까?

가끔은

가끔은 도망가도 괜찮아
지금 상황에서 너무 깊게 들어가지 않아도 돼
가끔은 도망쳐도 괜찮아
거대한 것들에게 짓눌릴 필요는 없어.

가끔은 아주 가끔은 너를 생각해도 괜찮아.
아니 가끔이 아니어도 좋아.

나에게 보내는 편지

시

아름다움이 적혀있고
슬픔이 적혀있고
마음이 몽글몽글해지고
따뜻해 보이고
가끔은 보라색으로 보인다.

지팡이

지팡이는 어떤 이의 눈이 되기도 하고
지지대가 되기도 하다가
환상을 보여주기도 하고
다리가 되어주기도 한다.

바람개비

바람이 불지 않으면 달리면 된다
바람이 불지 않으면 입으로
바람을 만들면된다.
바람이 불지 않으면 손으로 돌리면 된다.

바람이 불지 않아도 방법은 많다.

시스투스

나는 이기적인 꽃이에요
나는 나 밖에 몰라 고온이 되면
내몸을 불살라 주변을 다 태우죠.

나는 내일 죽습니다.

나는 이기적인 꽃이에요
내 주변으로 오지 마세요.
오면 나와 함께 살 수 없어요.

나는 내일 죽습니다.

나는 이기적인 꽃이에요
혼자서도 잘 살아요.
아무도 살 수 없는 곳에서
나 혼자 살다 갑니다.

나는 내일 죽습니다.

나에게 보내는 편지

화조풍월

아름다운 경치
아름다운 꽃
아름다운 새
아름다운 바람
아름다운 달

왜 다 아름다워 내 마음을
이리 구슬프게도 만드는 걸까

쌓기

나는 옛날 지식을 쌓는 것을 좋아했다.
그렇다고 공부를 잘한다거나 그러진 못했다.
단지 여러분야의 지식을 알고싶어했다.

처음에는 재미있고 궁금하기도 하다가도
내가 점차 똑똑해지는 느낌이 들다가도

이제는 내 마음 한 구석이 허전해서
지식으로 채우려는 듯한 느낌이 들었다.

역사는 엑스트라를 기억하지 않는다

1등과 라이벌
천재적 발명가와 왕
혹은 어느파의 우두머리

역사는 엑스트라를 기억하지 않는다.

그 수많은 사람이 있어야 1등이 생기고
천재가 발견되고 파벌이 나뉘고
우두머리가 생기는 건데.

역사는 엑스트라를 기억하지 않는다.

편지

그대에게
편지를 날려보낸다.

거기에는 달콤함이 묻어있고
슬픔이 묻어있고
애뜻함이 묻어있고
그리움이 묻어있고

그대가 있다.

시끄러운 내 소리와 외침이
그 편지 봉투 안에 다 들어가

그대에게
나는 또 다시
편지를 날려보낸다.

나에게 보내는 편지

얼음

너무 차가워서 슬프다
금방 녹아내리고
고양이가 발톱으로 긁는 거처럼 날카롭다.

하지만 언제는 너무나 따뜻해
나도 함께 녹아내리는 것 같다.

뒤를 보지 마세요

이별을 고한 후 뒤를 보지 마세요.
마음을 전한 후 뒤를 보지 마세요.

그저 앞만 보고 달리세요.
그럼 어느 순간 그대 옆에 누가 함께 같이 달려줄
겁니다.

그러니 뒤를 보지 마세요.

약속

약속은 참, 깨라고 있는 것 같아.

다음에 보자.
다음에 내가 살게.
나중에 전달할게
나중에 말할래.

다음에, 나중에.

그게 언제인데.
나는 너를 이리 무한정 기다려야해.
너가 그 약속을 지키려고 나타날 때를 위해.

꽃

같이 피우기로 하고 심은 꽃은
결국 1년이 지나 피지 않고
져버렸다.

그 광경을 나 홀로 쓸쓸히 보는 게
마치 꽃이 나와 닮았다.

우리가 심은 꽃말고
주위의 꽃은 다 만개하고 말았다.

달

나는 내일 그 자리 그대로 있어요.
하지만 사람들은 날 특별하게 생각하죠.

새해와 전해에 나를 특히 많이 반겨요.
난 여기 그대로 달라진 적이 없는데,
왜 사람들은 평소는 신경쓰지 않을까요?

일주일

일주일중 토요일과 일요일이 제일 짧은 것 같다.

아니 사실 그냥 내가 쉬는 날이 제일 짧게 느껴진
다.
왜 그럴까
왜 내가 일하는 시간만이 느리게 흐르는 거지.
시간의 흐림이 상대적이라는 아인슈타인의 말이
맞는 것 같다.

지갑

가끔 지갑을 들여다보면
돼지 한 마리가 들어가 있다.
그 돼지 근처에는 사료가 많았다.

점차 사료가 줄어들고 돼지가 말라가게 되면
돼지는 자기 스스로를 잡아먹게 되고
결국, 소멸해 버린다.

일장춘몽

어쩌면 인생은
한바탕 꿈일지도 모른다.
종국에는 아무것도 남지 않는
그런 한바탕의 꿈.

날 찾지 말아요

나의 사랑은 웃음거리였고
나의 삶은 고통이었고
나의 행복은 없었다.

이곳에는 나의 자리가 존재하지 않았다.

나는 아주 멀리
아무도 날 찾을 수 없는 곳으로 여행을 떠난다.

그곳에서 나의 사랑은 아름답고
나의 삶은 치유받고
나의 행복은 가득할 것이다.

그러니 아무도 날 찾지 마.

지진

사랑을 할때면
꼭 마음에 지진이 일어난다
지진이 일어나 용암이 분출되고

그렇게 한 없이 뜨거워 졌다가 식어
땅이 굳는다.

흑요석

제일 검고 어여쁜 돌.
하지만 너무나도 약해
쉽게 부서지지
하지만 너무나도 날카로워
쉽게 공격할 수 있어.

리필

행복은
리필이 안되나요?

나의 고통은
리필이 되는데

왜 행복과 사랑은
리필이 안되나요.

빛

빛이 있으면 어둠이 있고
어둠이 있으면 빛이 있어
둘은 공존하면서 산다.

마치 내가 있으면 부모가 있고
부모가 있으면 내가 있는 것처럼

타임캡슐

모든 추억과 기쁨, 행복
모든게 담겨 10년 후 20년 후 미래에 열어보는
타임캡슐.

탐임캡슐 안에는 그런 것만 담긴게 아니라
그 자체가 추억이 된다.

스티그마

나는 쌍둥이다.
한 명의 천재적인 형이 있다.
그는 주변이 모두 좋아하고 모두의 선망대상.

나는 쌍둥이다.
한 명의 바보 동생.
나의 주변은 모두 날 불쌍히 보고
모두가 형과 비교한다.

근데 우린 서로가 서로의 인생을
번가라가면서 살아
참 신기하게도 아무도 모르더라.

인터넷에 검색하지마

나에게 많은 병이 있다.
늘 걱정이 많아, 난 걱정 망상이 있다.
그렇게 검색하고 검색하고 또 검색하면

나는 암환자가 되어있거나
시한부환자가 되어 있다.

그러니 인터넷에 검색하지마라.
그게 너가 살아갈 방법이니.

나에게 보내는 편지

울어도 괜찮아

왜 다들 내가 울면
울지 말라고 하는 걸까
왜 다들 내가 아파하면
아프지 말라고 하는 걸까

슬픔을 받아드리는 것이
고통을 받아드리는 것이
잘 못 되었나?

그래서인지

난 더 이상 울음이 나오지 않았다

대신 내 온몸이 소리친다.

만약에

만약에 우리가 만나지 않았다면
만약에 우리가 헤어지지 않았다면
만약에 우리가 서로를 사랑하지 않았다면
만약에 우리가...

수많은 만약에가 나를 더 망치는 것 같아.

이제 만약에는 그만해야겠어.
그러기엔 이 밤이 너무나도 아름답거든.

꿀빨이새

나는 노래를 불러요.
아아, 아아,
나는 노래를 불러요.

하지만 이제 내 짝을 찾을 수 없어요
내 둥지와 내 친구들이
불 속으로 사라졌거든요.

나는 노래를 불러요.
아아, 아아
나는 노래를 불러요.

멀리서 듣고 있는 내 친구들을 위해

마지막 남은 나는
잘 부르지도 못하는 노래를 불러요.

내가 잘 하는 것.

나는 웃기보다는
웃는 척하는 걸 잘 하고
나는 감동받기보다는
감동 받은 척하는 걸 잘 하고

나는 웃기보다는
몰라 울음을 삼키는 것을 잘 하고

그렇게
참는 방법만 배워서

나는 감정을 찾는 걸 잘 한다.

나에게 보내는 편지

이불

나는 추위를 잘 타요.
여름이 되어도
얇은 솜이불을 덥고
가을이 되면 이불을 두 개 덥고
겨울이 되면 아주 두꺼운 이불을 덥지요.

근데 마음이 추울 때는
어떻게 해야할지 모르겠어요.
핫팩을 사용해도 보고
동물 영상을 봐도

마음이 추울때는
어떻게 해야할지 모르겠어요.

시야

가끔 시야가 흐릿할 때가 있다.

내가 모든 걸 보기 싫은 건지
보기 싫어하는 걸 보지 않으려고 하는지
잘 모르겠지만,
눈 앞이 점점 흐릿해져간다.

너에게 보내는 편지

공식

인생이 수학 공식처럼
답이 있다면 좋을텐데

그럼 난 열심히 그 문제를 풀어
해답을 얻고 완성된 수식을 얻겠지

지금은 내가 어떻게 수식을 푸는지조차도 모르겠
어
풀고 있는 건지 아님 포기한 건지

정답은 무엇일까?

꿈 속에 나에게

꿈 속의 나는 늘 악몽에 집어 먹힌다.
그럴때면 나의 천사가 나타나
나를 구하러 온다.

악몽 속에서 나를 구원하기위해.
많이 아프지 말라고
어깨를 토닥거리고
나를 꽉안아 심장박동소리를 듣게하고

나를 위로해주러 온다.

너에게 보내는 편지

아이스크림

너무나 달고 차가워서
그것에 흠벅빠져
헤어나올 수가 없다.

몸이 얼어붙어도
그 달콤함이 너무나 좋아
살이 찢기는 고통이 느껴져도
그 달콤함이 너무나 좋아

나는 아무것도 할 수가 없다.

꿈

꿈은 무엇일까
나에게 희망을 주는 존재인가
아님 절망을 주는 존재인가

혹은 아예 존재하지 않은 것을 말하는 걸까
누구는 꿈을 문장으로 꾸라고 하고,
누구는 꿈을 과정으로 생각하라고 하고

당신에게 꿈은 어떤 식으로 받아드려지는가

나에게 꿈은 어쩌면 힘든 고생길일지도 모른다.

너를 위해

너를 위해
나는 희생할게

너를 위해
나는 선택할게

너를 위해
나는 일을 할게

너를 위해
나는 모든 걸 감수할게

너를 위해
아니 나를 위해 사는 당신,

나를 위한 희생을 하고
나를 위한 선택을 하고
나를 위해 일을 하고

나를 위해 그 모든 고통을 감수한 당신,
이제 당신을 위해 살았으면 좋겠다.
내가 이제 당신을 위한 삶을 살테니.

인사

늘 하는 인사말이
다르게 느껴질 때

그때는 떠날 때가 되었다는 걸 알리는 것이다

그러니 그에게 잘가라는 인사말 대신
잘 지내 또 봐라는 인라말로 한 번 더
손을 내밀어주길.

상처

몸에 생긴 상처는 흉터가 생기면서 점차 사라진다

마음에 생긴 상처는 흉터가 되어 평생남는다

나의 마음을 아프게 한 이의 이름과 함께.

대신 그 상처가 나를 더 단단하게 만들기도,
나를 더 나아가게
만들기도 한다는 점을 알았으면.

피치 낙하실험

세상에서 가장 느린 실험.
피치가 액체라는 걸 증명하는 실험보다

어째 나는 당신이 나에게 어떤 의미가 있는
존재인지
증명하는 것이 가장 어렵고 오래 걸릴 것 같을까

책

오랜 어린 시절부터
책은 나의 친구였다.

책은 나에게 세상을 알려주었고
책은 나에게 상상력으로 세상을 만들게 했고
책은 나에게 감정을 알려주었고
책은 나에게 알려주기만 했다

그러면서 책은 나에게 모든 것의 실행은
너의 몫이야라고 알려주었다.

인형

나는 인형이 없으면 잠을 못 잔다

누구는 말했다
너는 아직도 어린애구나
또 누구는 말했다
너는 아직도 어둠이 무섭구나

나는 말했다
단지 사랑이 고픈 것 뿐이라고

가슴 아픈 병

나는 아직도 배가 고파요.

　　　　　　　　　　　　방금 밥 먹었잖아.

어디로 가는 중이에요?

　　　　　　　　　　우리 집으로 가는 중이야.

나는 내 집으로 갈거에요.
엄마. 엄마 어디 있어요.
아빠 여기 이상한 사람이 있어요.

　　　　　　　　　엄마, 엄마 자식 여기 있어.

액자

액자 안에 알맞는 크기의 사진을 넣어
그리고 오랫동안 바라봐

그 안에는 무엇이 들어 있니
사랑, 슬픔, 기쁨 혹은 죽음이 들어있어

그러니 액자 안에 너의 시간을 남기지마
액자 밖에, 그 밖에서 너의 모든 걸 누려.

뮤지컬

하나의 연극.
희극인지 비극인지.

멀리서 보면 희극이고
가까이서 보면 비극인 인생

근데 말이야.
인생 안에는 꼭 누군가의 희극과 비극이 존재해.
내가 아니더라도.

너와 나의 인생에 누군가의 비극이 존재한다면
그건 그저 비극적인 뮤지컬일 뿐이야.

사랑도 반품이 되나요?

내가 힘들 때 옆에 있어 준 당신의 사랑
내가 어려울 때 도와준 당신의 사랑
내가 외로울 때 꼭 안아준 당신의 사랑
내가 아플때 대신 아파주고 싶어했던 당신의 사랑

그 많은 사랑들이 내 상자에 넘치고 넘쳐
더 이상 놓을 자리가 없네요.

그러니 당신께 다히 돌려드릴게요.
내가 받은 사랑까지 넘치도록 받아요. 부디.

난파선

무엇에 그리 홀렸을까
무엇에 그리 홀려 난파되어
제 몸이 부서져도 떠나지 않은걸까

어떤 배는 아름다운 추억이 되고
어떤 배는 다시 찾아가면 소원을 들어주는

신비로운 존재가 된다.
아마 그 신비로움에 홀려 너도 나도 난파된 것같다.

혹시

설마가 사람잡는다면
혹시는 사람을 말라죽인다.

혹시, 날 좋아하나
혹시, 날 싫어하나
혹시, 내가 할 수 있을까
혹시, 내가 아프면 어떡하지
혹시, 내게 한 모든 게 거짓이면

그 수 많은 혹시가 날 말라죽인다.

악수

서로의 손에 무기가 없다는 표현
하지만 악수도 상대가 있어야 가능하다
손과 손을 맞잡고 위 아래로 흔들면
난 당신을 해칠 의도가 없다고 말한다

그렇게 악수가 끝나면
두 사람은 빠르게 생각을 정리하며
손 뒤에 숨긴 말이라는 무기를 준비한다.

그래서 요즘 사람들은 악수를 잘 안하나보다.

먼 훗날 나에게

이 글을 다시 보게 될 먼 훗날에 나에게
20살의 불안과 우울은 잘 극복했니
이제 우는 방법을 알게 되었니

난 아직 힘들지만
그 힘듦을 극복해 나아가고 있어

열아홉의 나에게도
스무 살의 나에게도

늘 행복이 가득하길
불행은 이제 그만 떠나가길

이리 간절히 빌어.

열아홉의 너에게
20yars

발 행|2024년 2월 27일
저 자| 재령
펴낸이 | 한건희
펴낸곳 |주식회사 부크크
출판사등록 |2014.07.15.(제2014 -16호)
㈜주 소| 서울특별시 금천구 가산디지털1로 119 SK트윈타워
       A동 305호
전 화|1670-8316
이메일 |info@bookk.co.kr

ISBN |979-11-410-7401-2
www.bookk.co.kr